Jean de La Fontaine

« Maître Corbeau, sur un arbre perché, tenait en son bec un fromage… »
Ainsi commence une des fables les plus célèbres de notre enfance,
récitée timidement ou déclamée devant le tableau noir et la classe entière !
Jean de La Fontaine (1621-1695), accompagné de son éternelle
troupe d'animaux à poils et à plumes, a traversé les siècles,
tournant en dérision les défauts de l'homme.
Ses fables, où les mots ont le charme étrange d'autrefois,
gardent toute leur force et leur justesse à l'aube de notre XXIe siècle.

Fables illustrées par *Christian Aubrun, Pierre Bailly, Bertrand Bataille,*
Claire Delvaux, Jean-Marc Denglos, Sandra Desmazières, Quentin Gréban,
Émile Jadoul, Muriel Kerba, Élodie Nouhen, Clément Oubrerie, Elene Usdin, Véronique Vernette

Couverture illustrée par *Bertrand Bataille*

© Lito, 2007
ISBN 978-2-244-41749-3

www.editionslito.com

Lito
41, rue de Verdun 94500 Champigny-sur-Marne
Imprimé en UE
Loi n° 49-956 du 16 juillet 1949 sur les publications destinées à la jeunesse
Dépôt légal : septembre 2007

JEAN DE LA FONTAINE

fables
de la fontaine

Editions Lito

La cigale et la fourmi

La cigale, ayant chanté
Tout l'été,
Se trouva fort dépourvue
Quand la bise fut venue.
Pas un seul petit morceau
De mouche ou de vermisseau.
Elle alla crier famine
Chez la fourmi sa voisine,
La priant de lui prêter
Quelque grain pour subsister
Jusqu'à la saison nouvelle.
« Je vous paierai, lui dit-elle,
Avant l'oût, foi d'animal,
Intérêt et principal. »
La fourmi n'est pas prêteuse ;
C'est là son moindre défaut.
« Que faisiez-vous au temps chaud ?
Dit-elle à cette emprunteuse.
— Nuit et jour à tout venant
Je chantais, ne vous déplaise.
— Vous chantiez ? j'en suis fort aise.
Eh bien ! dansez maintenant. »

Le corbeau
et le renard

Maître corbeau, sur un arbre perché,
Tenait en son bec un fromage.
Maître renard, par l'odeur alléché,
Lui tint à peu près ce langage :
« Et bonjour, Monsieur du Corbeau.
Que vous êtes joli ! que vous me semblez beau !
Sans mentir, si votre ramage
Se rapporte à votre plumage,
Vous êtes le phénix des hôtes de ces bois. »
À ces mots, le corbeau ne se sent pas de joie ;
Et pour montrer sa belle voix,
Il ouvre un large bec, laisse tomber sa proie.
Le renard s'en saisit, et dit : « Mon bon monsieur,
Apprenez que tout flatteur
Vit aux dépens de celui qui l'écoute.
Cette leçon vaut bien un fromage sans doute. »
Le corbeau honteux et confus,
Jura, mais un peu tard, qu'on ne l'y prendrait plus.

Le petit poisson et le pêcheur

Petit poisson deviendra grand,

Pourvu que Dieu lui prête vie.

Mais le lâcher en attendant,

Je tiens pour moi que c'est folie ;

Car de le rattraper il n'est pas trop certain.

Un carpeau qui n'était encore que fretin

Fut pris par un pêcheur au bord d'une rivière.

« Tout fait nombre, dit l'homme en voyant son butin ;

Voilà commencement de chère et de festin ;

Mettons-le en notre gibecière. »

Le pauvre carpillon lui dit en sa manière :

« Que ferez-vous de moi ? Je ne saurais fournir

Au plus qu'une demi-bouchée.

Laissez-moi carpe devenir :

Je serai par vous repêchée.

Quelque gros partisan m'achètera bien cher,

Au lieu qu'il vous en faut chercher

Peut-être encor cent de ma taille

Pour faire un plat. Quel plat ? croyez-moi : rien qui vaille.

– Rien qui vaille ? Eh bien, soit, repartit le pêcheur ;

Poisson, mon bel ami, qui faites le prêcheur,

Vous irez dans la poêle ; et vous avez beau dire,

Dès ce soir on vous fera frire. »

Un tiens vaut, ce dit-on, mieux que deux tu l'auras.

L'un est sûr, l'autre ne l'est pas.

Le loup et l'agneau

La raison du plus fort est toujours la meilleure,

Nous l'allons montrer tout à l'heure.

Un agneau se désaltérait

Dans le courant d'une onde pure.

Un loup survient à jeun qui cherchait aventure,

Et que la faim en ces lieux attirait.

« Qui te rend si hardi de troubler mon breuvage ?

Dit cet animal plein de rage ;

Tu seras châtié de ta témérité.

— Sire, répond l'agneau, que Votre Majesté

Ne se mette pas en colère ;

Mais plutôt qu'elle considère

Que je me vas désaltérant

Dans le courant,

Plus de vingt pas au-dessous d'elle,

Et que par conséquent en aucune façon

Je ne puis troubler sa boisson.

— Tu la troubles, reprit cette bête cruelle,

Et je sais que de moi tu médis l'an passé.

— Comment l'aurais-je fait, si je n'étais pas né ?

Reprit l'agneau, je tète encor ma mère.

— Si ce n'est toi, c'est donc ton frère.

— Je n'en ai point. — C'est donc quelqu'un des tiens :

Car vous ne m'épargnez guère,

Vous, vos bergers et vos chiens.

On me l'a dit : il faut que je me venge. »

Là-dessus au fond des forêts

Le loup l'emporte, et puis le mange

Sans autre forme de procès.

La laitière et le pot au lait

Perrette, sur sa tête ayant un pot au lait
Bien posé sur un coussinet,
Prétendait arriver sans encombre à la ville.
Légère et court vêtue, elle allait à grands pas,
Ayant mis ce jour-là pour être plus agile
Cotillon simple, et souliers plats.
Notre laitière ainsi troussée
Comptait déjà dans sa pensée
Tout le prix de son lait, en employait l'argent,
Achetait un cent d'œufs, faisait triple couvée ;
La chose allait à bien par son soin diligent.
« Il m'est, disait-elle, facile
D'élever des poulets autour de ma maison :
Le renard sera bien habile,
S'il ne m'en laisse assez pour avoir un cochon.
Le porc à engraisser coûtera peu de son ;
Il était, quand je l'eus, de grosseur raisonnable ;
J'aurai, le revendant, de l'argent bel et bon.
Et qui m'empêchera de mettre en notre étable,
Vu le prix dont il est, une vache et son veau,
Que je verrai sauter au milieu du troupeau ? »

Perrette là-dessus saute aussi, transportée.

Le lait tombe : adieu veau, vache, cochon, couvée.

La dame de ces biens, quittant d'un œil marri

Sa fortune ainsi répandue,

Va s'excuser à son mari,

En grand danger d'être battue.

Le récit en farce en fut fait :

On l'appela le Pot au lait.

Quel esprit ne bat la campagne ?

Qui ne fait châteaux en Espagne ?

Picrochole, Pyrrhus, la laitière, enfin tous,

Autant les sages que les fous ?

Chacun songe en veillant, il n'est rien de plus doux ;

Une flatteuse erreur emporte alors nos âmes :

Tout le bien du monde est à nous,

Tous les honneurs, toutes les femmes.

Quand je suis seul, je fais au plus brave un défi :

Je m'écarte, je vais détrôner le Sophi ;

On m'élit roi, mon peuple m'aime ;

Les diadèmes vont sur ma tête pleuvant.

Quelque accident fait-il que je rentre en moi-même,

Je suis gros Jean comme devant.

Le chêne et le roseau

Le chêne un jour dit au roseau :
« Vous avez bien sujet d'accuser la nature :
Un roitelet pour vous est un pesant fardeau.
Le moindre vent qui d'aventure
Fait rider la face de l'eau
Vous oblige à baisser la tête :
Cependant que mon front, au Caucase pareil,
Non content d'arrêter les rayons du soleil,
Brave l'effort de la tempête.
Tout vous est aquilon, tout me semble zéphyr.
Encor si vous naissiez à l'abri du feuillage
Dont je couvre le voisinage,
Vous n'auriez pas tant à souffrir :
Je vous défendrais de l'orage.
Mais vous naissez le plus souvent
Sur les humides bords des royaumes du vent.
La nature envers vous me semble bien injuste.
—Votre compassion, lui répondit l'arbuste,
Part d'un bon naturel ; mais quittez ce souci.
Les vents me sont moins qu'à vous redoutables.
Je plie, et ne romps pas. Vous avez jusqu'ici
Contre leurs coups épouvantables
Résisté sans courber le dos ;
Mais attendons la fin. » Comme il disait ces mots,
Du bout de l'horizon accourt avec furie
Le plus terrible des enfants
Que le Nord eût portés jusque-là dans ses flancs.
L'arbre tient bon, le roseau plie ;
Le vent redouble ses efforts,
Et fait si bien qu'il déracine
Celui de qui la tête au ciel était voisine,
Et dont les pieds touchaient à l'empire des morts.

Le chat, la belette et le petit lapin

Du palais d'un jeune lapin
Dame belette un beau matin
S'empara : c'est une rusée.
Le maître étant absent, ce lui fut chose aisée.
Elle porta chez lui ses pénates un jour
Qu'il était allé faire à l'Aurore sa cour
Parmi le thym et la rosée.
Après qu'il eut brouté, trotté, fait tous ses tours,
Janot Lapin retourne aux souterrains séjours.
La belette avait mis le nez à la fenêtre.
« Ô dieux hospitaliers, que vois-je ici paraître ?
Dit l'animal chassé du paternel logis.
Ô là ! Madame la belette,
Que l'on déloge sans trompette,
Ou je vais avertir tous les rats du pays. »
La dame au nez pointu répondit que la terre
Était au premier occupant.
C'était un beau sujet de guerre
Qu'un logis où lui-même il n'entrait qu'en rampant !
« Et quand ce serait un royaume,
Je voudrais bien savoir, dit-elle, quelle loi
En a pour toujours fait l'octroi
À Jean, fils ou neveu de Pierre ou de Guillaume,
Plutôt qu'à Paul, plutôt qu'à moi. »

Jean Lapin allégua la coutume et l'usage.
« Ce sont, dit-il, leurs lois qui m'ont de ce logis
Rendu maître et seigneur, et qui, de père en fils,
L'ont de Pierre à Simon, puis à moi Jean transmis.
Le premier occupant est-ce une loi plus sage ?
– Or bien, sans crier davantage,
Rapportons-nous, dit-elle, à Raminagrobis. »
C'était un chat vivant comme un dévot ermite,
Un chat faisant la chattemite,
Un saint homme de chat, bien fourré, gros et gras,
Arbitre expert sur tous les cas.
Jean Lapin pour juge l'agrée.
Les voilà tous deux arrivés
Devant sa majesté fourrée.
Grippeminaud leur dit : « Mes enfants, approchez,
Approchez ; je suis sourd ; les ans en sont la cause. »
L'un et l'autre approcha, ne craignant nulle chose.
Aussitôt qu'à portée il vit les contestants,
Grippeminaud le bon apôtre,
Jetant des deux côtés la griffe en même temps,
Mit les plaideurs d'accord en croquant l'un et l'autre.
Ceci ressemble fort aux débats qu'ont parfois
Les petits souverains se rapportant aux rois.

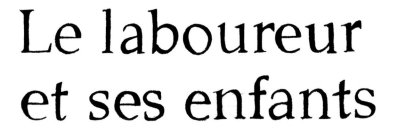

Le laboureur et ses enfants

Travaillez, prenez de la peine :
C'est le fonds qui manque le moins.
Un riche laboureur, sentant sa mort prochaine,
Fit venir ses enfants, leur parla sans témoins.
« Gardez-vous, leur dit-il, de vendre l'héritage,
Que nous ont laissé nos parents.
Un trésor est caché dedans.
Je ne sais pas l'endroit ; mais un peu de courage
Vous le fera trouver, vous en viendrez à bout.
Remuez votre champ dès qu'on aura fait l'oût.
Creusez, fouillez, bêchez, ne laissez nulle place
Où la main ne passe et repasse. »
Le père mort, les fils vous retournent le champ,
Deçà, delà, partout ; si bien qu'au bout de l'an
Il en rapporta davantage.
D'argent, point de caché. Mais le père fut sage
De leur montrer, avant sa mort,
Que le travail est un trésor.

Le lièvre
et la tortue

Rien ne sert de courir ; il faut partir à point.
Le lièvre et la tortue en sont un témoignage.
« Gageons, dit celle-ci, que vous n'atteindrez point
Sitôt que moi ce but. – Sitôt ? Êtes-vous sage ?
Repartit l'animal léger.
Ma commère, il vous faut purger
Avec quatre grains d'ellébore.
– Sage ou non, je parie encore. »
Ainsi fut fait : et de tous deux
On mit près du but les enjeux.
Savoir quoi, ce n'est pas l'affaire,
Ni de quel juge l'on convint.
Notre lièvre n'avait que quatre pas à faire ;
J'entends de ceux qu'il fait lorsque prêt d'être atteint
Il s'éloigne des chiens, les renvoie aux calendes
Et leur fait arpenter les landes.
Ayant, dis-je, du temps de reste pour brouter,
Pour dormir, et pour écouter
D'où vient le vent, il laisse la tortue
Aller son train de sénateur.

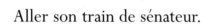

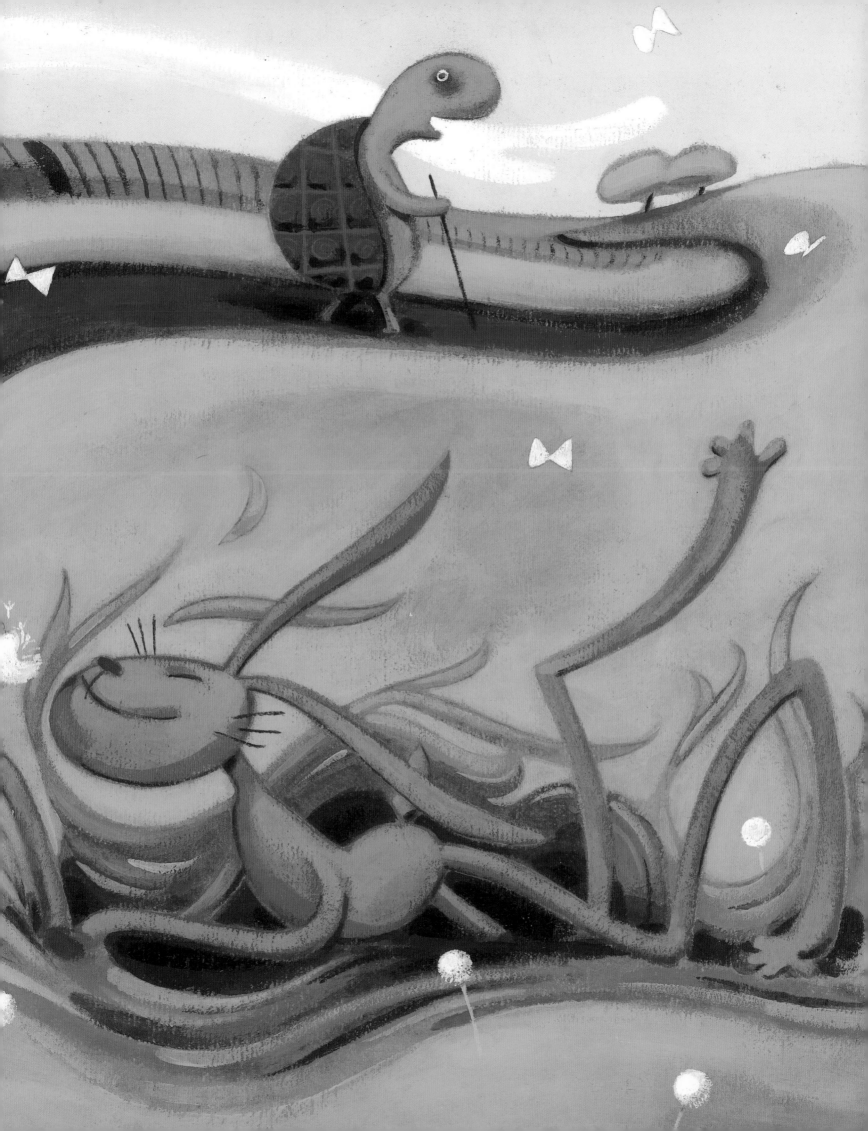

Elle part, elle s'évertue ;

Elle se hâte avec lenteur.

Lui cependant méprise une telle victoire,

Tient la gageure à peu de gloire,

Croit qu'il y va de son honneur

De partir tard. Il broute, il se repose,

Il s'amuse à tout autre chose

Qu'à la gageure. À la fin quand il vit

Que l'autre touchait presque au bout de la carrière,

Il partit comme un trait ; mais les élans qu'il fit

Furent vains : la tortue arriva la première.

« Hé bien ! lui cria-t-elle, avais-je pas raison ?

De quoi vous sert votre vitesse ?

Moi, l'emporter ! Et que serait-ce

Si vous portiez une maison ? »

La grenouille qui se veut faire aussi grosse que le bœuf

Une grenouille vit un bœuf
Qui lui sembla de belle taille.
Elle qui n'était pas grosse en tout comme un œuf,
Envieuse s'étend, et s'enfle, et se travaille
Pour égaler l'animal en grosseur,
Disant : « Regardez bien, ma sœur ;
Est-ce assez ? dites-moi : n'y suis-je point encore ?
– Nenni. – M'y voici donc ? – Point du tout. – M'y voilà ?
– Vous n'en approchez point. » La chétive pécore
S'enfla si bien qu'elle creva.

Le monde est plein de gens qui ne sont pas plus sages :
Tout bourgeois veut bâtir comme les grands seigneurs,
Tout petit prince a des ambassadeurs,
Tout marquis veut avoir des pages.

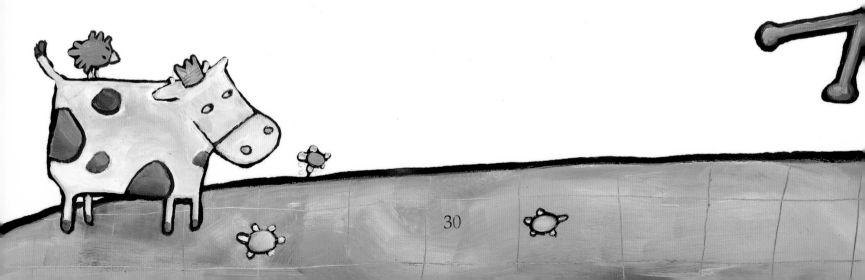

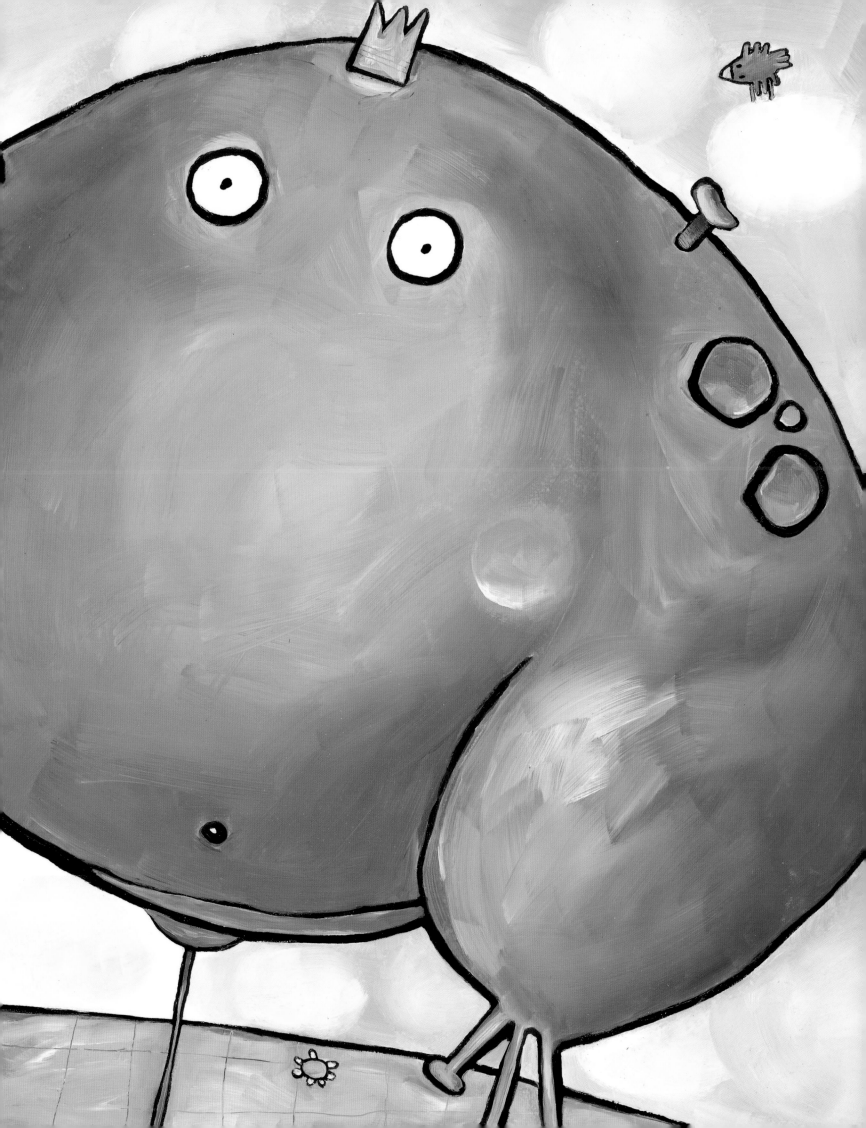

Le rat de ville et le rat des champs

Autrefois le rat de ville
Invita le rat des champs,
D'une façon fort civile,
À des reliefs d'ortolans.

Sur un tapis de Turquie
Le couvert se trouva mis.
Je laisse à penser la vie
Que firent ces deux amis.

Le régal fut fort honnête,
Rien ne manquait au festin ;
Mais quelqu'un troubla la fête
Pendant qu'ils étaient en train.

À la porte de la salle
Ils entendirent du bruit :
Le rat de ville détale,
Son camarade le suit.

Le bruit cesse, on se retire :
Rats en campagne aussitôt ;
Et le citadin de dire :
« Achevons tout notre rôt.

– C'est assez, dit le rustique ;
Demain vous viendrez chez moi :
Ce n'est pas que je me pique
De tous vos festins de roi ;

Mais rien ne vient m'interrompre :
Je mange tout à loisir.
Adieu donc, fi du plaisir
Que la crainte peut corrompre ! »

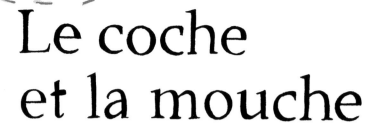

Le coche
et la mouche

Dans un chemin montant, sablonneux, malaisé,
Et de tous les côtés au soleil exposé,
Six forts chevaux tiraient un coche.
Femmes, moine, vieillards, tout était descendu.
L'attelage suait, soufflait, était rendu.
Une mouche survient, et des chevaux s'approche,
Prétend les animer par son bourdonnement,
Pique l'un, pique l'autre, et pense à tout moment
Qu'elle fait aller la machine,
S'assied sur le timon, sur le nez du cocher ;
Aussitôt que le char chemine,
Et qu'elle voit les gens marcher,
Elle s'en attribue uniquement la gloire,
Va, vient, fait l'empressée ; il semble que ce soit
Un sergent de bataille allant en chaque endroit
Faire avancer ses gens, et hâter la victoire.
La mouche en ce commun besoin
Se plaint qu'elle agit seule, et qu'elle a tout le soin ;
Qu'aucun n'aide aux chevaux à se tirer d'affaire.
Le moine disait son bréviaire :
Il prenait bien son temps ! Une femme chantait :
C'était bien de chansons qu'alors il s'agissait !
Dame mouche s'en va chanter à leurs oreilles,
Et fait cent sottises pareilles.
Après bien du travail le coche arrive au haut.
« Respirons maintenant, dit la mouche aussitôt :
J'ai tant fait que nos gens sont enfin dans la plaine.
Çà, Messieurs les chevaux, payez-moi de ma peine. »
Ainsi certaines gens faisant les empressés,
S'introduisent dans les affaires :
Ils font partout les nécessaires,
Et partout importuns devraient être chassés.

Le pot de terre et le pot de fer

Le pot de fer proposa
Au pot de terre un voyage.
Celui-ci s'en excusa,
Disant qu'il ferait que sage
De garder le coin du feu :
Car il lui fallait si peu,
Si peu, que la moindre chose
De son débris serait cause.
Il n'en reviendrait morceau.
« Pour vous, dit-il, dont la peau
Est plus dure que la mienne,
Je ne vois rien qui vous tienne.
– Nous vous mettrons à couvert,
Repartit le pot de fer.
Si quelque matière dure
Vous menace d'aventure,
Entre deux je passerai,
Et du coup vous sauverai. »
Cette offre le persuade.
Pot de fer son camarade
Se met droit à ses côtés.
Mes gens s'en vont à trois pieds,
Clopin-clopant, comme ils peuvent,
L'un contre l'autre jetés,
Au moindre hoquet qu'ils treuvent.
Le pot de terre en souffre : il n'eut pas fait cent pas
Que par son compagnon il fut mis en éclats,
Sans qu'il eût lieu de se plaindre.
Ne nous associons qu'avecque nos égaux,
Ou bien il nous faudra craindre
Le destin d'un de ces pots.

Le renard et la cigogne

Compère le renard se mit un jour en frais,
Et retint à dîner commère la cigogne.
Le régal fut petit, et sans beaucoup d'apprêts :
Le galant pour toute besogne
Avait un brouet clair (il vivait chichement).
Ce brouet fut par lui servi sur une assiette :
La cigogne au long bec n'en put attraper miette ;
Et le drôle eut lapé le tout en un moment.
Pour se venger de cette tromperie,
À quelque temps de là, la cigogne le prie.
« Volontiers, lui dit-il, car avec mes amis
Je ne fais point cérémonie. »
À l'heure dite il courut au logis
De la cigogne son hôtesse,
Loua très fort la politesse,
Trouva le dîner cuit à point.
Bon appétit surtout ; renards n'en manquent point.
Il se réjouissait à l'odeur de la viande
Mise en menus morceaux, et qu'il croyait friande.
On servit pour l'embarrasser,
En un vase à long col et d'étroite embouchure.
Le bec de la cigogne y pouvait bien passer,
Mais le museau du sire était d'autre mesure.
Il lui fallut à jeun retourner au logis,
Honteux comme un renard qu'une poule aurait pris,
Serrant la queue, et portant bas l'oreille.
Trompeurs, c'est pour vous que j'écris :
Attendez-vous à la pareille.

38

L'enfant
et le maître d'école

Dans ce récit je prétends faire voir
D'un certain sot la remontrance vaine.
Un jeune enfant dans l'eau se laissa choir,
En badinant sur les bords de la Seine.
Le Ciel permit qu'un saule se trouva
Dont le branchage, après Dieu, le sauva.
S'étant pris, dis-je, aux branches de ce saule,
Par cet endroit passe un maître d'école.
L'enfant lui crie : « Au secours, je péris ! »
Le magister, se tournant à ses cris,
D'un ton fort grave à contretemps s'avise
De le tancer : « Ah ! le petit babouin !
Voyez, dit-il, où l'a mis sa sottise !
Et puis prenez de tels fripons le soin.
Que les parents sont malheureux, qu'il faille
Toujours veiller à semblable canaille !
Qu'ils ont de maux, et que je plains leur sort ! »
Ayant tout dit, il mit l'enfant à bord.
Je blâme ici plus de gens qu'on ne pense.
Tout babillard, tout censeur, tout pédant,
Se peut connaître au discours que j'avance :
Chacun des trois fait un peuple fort grand ;
Le Créateur en a béni l'engeance.
En toute affaire ils ne font que songer
Aux moyens d'exercer leur langue.
Hé ! mon ami, tire-moi de danger :
Tu feras après ta harangue.

Le renard
et les raisins

Certain renard gascon, d'autres disent normand,
Mourant presque de faim, vit au haut d'une treille
Des raisins mûrs apparemment
Et couverts d'une peau vermeille.
Le galant en eût fait volontiers un repas ;
Mais comme il n'y pouvait atteindre :
« Ils sont trop verts, dit-il, et bons pour des goujats. »
Fit-il pas mieux que de se plaindre ?

L'ours et les deux compagnons

Deux compagnons pressés d'argent
À leur voisin fourreur vendirent
La peau d'un ours encor vivant,
Mais qu'ils tueraient bientôt, du moins à ce qu'ils dirent.
C'était le roi des ours au compte de ces gens.
Le marchand à sa peau devait faire fortune.
Elle garantirait des froids les plus cuisants ;
On en pourrait fourrer plutôt deux robes qu'une.
Dindenaut prisait moins ses moutons qu'eux leur ours :
Leur, à leur compte, et non à celui de la bête.
S'offrant de la livrer au plus tard dans deux jours,
Ils conviennent de prix, et se mettent en quête,
Trouvent l'ours qui s'avance, et vient vers eux au trot.
Voilà mes gens frappés comme d'un coup de foudre.
Le marché ne tint pas ; il fallut le résoudre :
D'intérêts contre l'ours, on n'en dit pas un mot.

L'un des deux compagnons grimpe au faîte d'un arbre ;

L'autre, plus froid que n'est un marbre,

Se couche sur le nez, fait le mort, tient son vent,

Ayant quelque part ouï dire

Que l'ours s'acharne peu souvent

Sur un corps qui ne vit, ne meut, ni ne respire.

Seigneur ours, comme un sot, donna dans ce panneau.

Il voit ce corps gisant, le croit privé de vie,

Et de peur de supercherie

Le tourne, le retourne, approche son museau,

Flaire aux passages de l'haleine.

« C'est, dit-il, un cadavre ; ôtons-nous, car il sent. »

À ces mots, l'ours s'en va dans la forêt prochaine.

L'un de nos deux marchands de son arbre descend,

Court à son compagnon, lui dit que c'est merveille

Qu'il n'ait eu seulement que la peur pour tout mal.

« Eh bien ! ajouta-t-il, la peau de l'animal ?

Mais que t'a-t-il dit à l'oreille ?

Car il s'approchait de bien près,

Te retournant avec sa serre.

– Il m'a dit qu'il ne faut jamais

Vendre la peau de l'ours qu'on ne l'ait mit par terre. »

Le loup
et le chien

Un loup n'avait que les os et la peau,
Tant les chiens faisaient bonne garde.
Ce loup rencontre un dogue aussi puissant que beau,
Gras, poli, qui s'était fourvoyé par mégarde.
L'attaquer, le mettre en quartiers,
Sire loup l'eût fait volontiers.
Mais il fallait livrer bataille ;
Et le mâtin était de taille
À se défendre hardiment.
Le loup donc l'aborde humblement,
Entre en propos, et lui fait compliment
Sur son embonpoint qu'il admire.
« Il ne tiendra qu'à vous, beau sire,
D'être aussi gras que moi, lui repartit le chien.
Quittez les bois, vous ferez bien :
Vos pareils y sont misérables,
Cancres, hères, et pauvres diables,
Dont la condition est de mourir de faim.
Car quoi ? Rien d'assuré ; point de franche lippée :
Tout à la pointe de l'épée.
Suivez-moi : vous aurez un bien meilleur destin. »

Le loup reprit : « Que me faudra-t-il faire ?
— Presque rien, dit le chien, donner la chasse aux gens
Portants bâtons, et mendiants ;
Flatter ceux du logis, à son maître complaire ;
Moyennant quoi votre salaire
Sera force reliefs de toutes les façons :
Os de poulets, os de pigeons ;
Sans parler de mainte caresse. »
Le loup déjà se forge une félicité
Qui le fait pleurer de tendresse.
Chemin faisant il vit le col du chien pelé.
« Qu'est-ce là ? lui dit-il. — Rien. — Quoi rien ?
— Peu de chose. — Mais encor ?
— Le collier dont je suis attaché
De ce que vous voyez est peut-être la cause.
— Attaché ? dit le loup : vous ne courez donc pas
Où vous voulez ? — Pas toujours, mais qu'importe ?
— Il importe si bien que de tous vos repas
Je ne veux en aucune sorte,
Et ne voudrais pas même à ce prix un trésor. »
Cela dit, maître loup s'enfuit, et court encor.

Le savetier
et le financier

Un savetier chantait du matin jusqu'au soir :
C'était merveilles de le voir,
Merveilles de l'ouïr ; il faisait des passages,
Plus content qu'aucun des sept sages.
Son voisin au contraire, étant tout cousu d'or,
Chantait peu, dormait moins encor.
C'était un homme de finance.
Si sur le point du jour parfois il sommeillait,
Le savetier alors en chantant l'éveillait,
Et le financier se plaignait
Que les soins de la Providence
N'eussent pas au marché fait vendre le dormir,
Comme le manger et le boire.
En son hôtel il fait venir
Le chanteur, et lui dit : « Or çà, sire Grégoire,
Que gagnez-vous par an ? – Par an ? Ma foi, Monsieur,
Dit avec un ton de rieur
Le gaillard savetier, ce n'est point ma manière
De compter de la sorte, et je n'entasse guère
Un jour sur l'autre : il suffit qu'à la fin
J'attrape le bout de l'année.
Chaque jour amène son pain.
– Eh bien ! que gagnez-vous, dites-moi, par journée ?
–Tantôt plus, tantôt moins : le mal est que toujours
(Et sans cela nos gains seraient assez honnêtes),

Le mal est que dans l'an s'entremêlent des jours

Qu'il faut chômer ; on nous ruine en fêtes.

L'une fait tort à l'autre, et monsieur le curé

De quelque nouveau saint charge toujours son prône. »

Le financier, riant de sa naïveté,

Lui dit : « Je vous veux mettre aujourd'hui sur le trône.

Prenez ces cent écus : gardez-les avec soin,

Pour vous en servir au besoin. »

Le savetier crut voir tout l'argent que la terre

Avait depuis plus de cent ans

Produit pour l'usage des gens.

Il retourne chez lui ; dans sa cave il enserre

L'argent et sa joie à la fois.

Plus de chant ; il perdit la voix

Du moment qu'il gagna ce qui cause nos peines.

Le sommeil quitta son logis,

Il eut pour hôtes les soucis,

Les soupçons, les alarmes vaines.

Tout le jour il avait l'œil au guet. Et la nuit,

Si quelque chat faisait du bruit,

Le chat prenait l'argent. À la fin le pauvre homme

S'en courut chez celui qu'il ne réveillait plus.

« Rendez-moi, lui dit-il, mes chansons et mon somme,

Et reprenez vos cent écus. »

Le lion
et le rat

Il faut, autant qu'on peut, obliger tout le monde :
On a souvent besoin d'un plus petit que soi.
De cette vérité deux fables feront foi,
Tant la chose en preuves abonde.
Entre les pattes d'un lion,
Un rat sortit de terre assez à l'étourdie.
Le roi des animaux, en cette occasion,
Montra ce qu'il était, et lui donna la vie.
Ce bienfait ne fut pas perdu.
Quelqu'un aurait-il jamais cru
Qu'un lion d'un rat eût affaire ?
Cependant il advint qu'au sortir des forêts
Ce lion fut pris dans des rets
Dont ses rugissements ne le purent défaire.
Sire rat accourut, et fit tant par ses dents
Qu'une maille rongée emporta tout l'ouvrage.
Patience et longueur de temps
Font plus que force ni que rage.

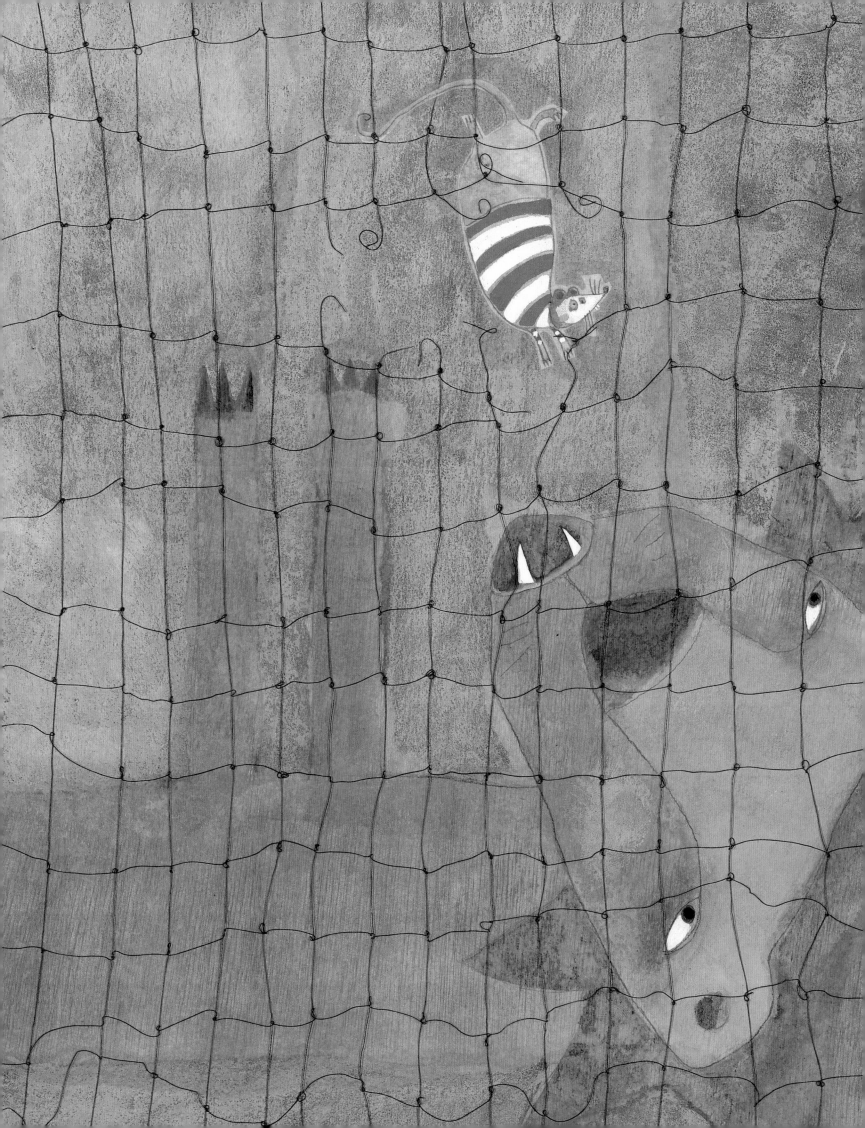

La colombe et la fourmi

L'autre exemple est tiré d'animaux plus petits.

Le long d'un clair ruisseau buvait une colombe,

Quand sur l'eau se penchant une fourmi y tombe ;

Et dans cet océan l'on eût vu la fourmi

S'efforcer, mais en vain, de regagner la rive.

La colombe aussitôt usa de charité :

Un brin d'herbe dans l'eau par elle étant jeté,

Ce fut un promontoire où la fourmi arrive.

Elle se sauve ; et là-dessus

Passe un certain croquant qui marchait les pieds nus.

Ce croquant par hasard avait une arbalète.

Dès qu'il voit l'oiseau de Vénus,

Il le croit en son pot, et déjà lui fait fête.

Tandis qu'à le tuer mon villageois s'apprête,

La fourmi le pique au talon.

Le vilain retourne la tête.

La colombe l'entend, part, et tire de long.

Le souper du croquant avec elle s'envole :

Point de pigeon pour une obole.

58

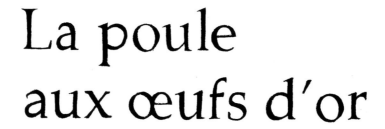

La poule aux œufs d'or

L'avarice perd tout en voulant tout gagner.
Je ne veux, pour le témoigner,
Que celui dont la poule, à ce que dit la fable,
Pondait tous les jours un œuf d'or.
Il crut que dans son corps elle avait un trésor.
Il la tua, l'ouvrit, et la trouva semblable
À celles dont les œufs ne lui rapportaient rien,
S'étant lui-même ôté le plus beau de son bien.
Belle leçon pour les gens chiches :
Pendant ces derniers temps combien en a-t-on vus
Qui du soir au matin sont pauvres devenus
Pour vouloir trop tôt être riches !

Le cochet, le chat et le souriceau

Un souriceau tout jeune, et qui n'avait rien vu,
Fut presque pris au dépourvu.
Voici comme il conta l'aventure à sa mère.
« J'avais franchi les monts qui bornent cet État,
Et trottais comme un jeune rat
Qui cherche à se donner carrière,
Lorsque deux animaux m'ont arrêté les yeux ;
L'un doux, bénin et gracieux,
Et l'autre turbulent, et plein d'inquiétude.
Il a la voix perçante et rude,
Sur la tête un morceau de chair,
Une sorte de bras dont il s'élève en l'air
Comme pour prendre sa volée,
La queue en panache étalée. »
Or c'était un cochet dont notre souriceau
Fit à sa mère le tableau,
Comme d'un animal venu de l'Amérique.
« Il se battait, dit-il, les flancs avec ses bras,
Faisant tel bruit et tel fracas,
Que moi, qui grâce aux dieux de courage me pique,

62

En ai pris la fuite de peur,
Le maudissant de très bon cœur.
Sans lui j'aurais fait connaissance
Avec cet animal qui m'a semblé si doux.
Il est velouté comme nous,
Marqueté, longue queue, une humble contenance ;
Un modeste regard, et pourtant l'œil luisant :
Je le crois fort sympathisant
Avec messieurs les rats ; car il a des oreilles
En figure aux nôtres pareilles.
Je l'allais aborder, quand d'un son plein d'éclat
L'autre m'a fait prendre la fuite.
– Mon fils, dit la souris, ce doucet est un chat,
Qui sous son minois hypocrite
Contre toute ta parenté
D'un malin vouloir est porté.
L'autre animal tout au contraire,
Bien éloigné de nous mal faire,
Servira quelque jour peut-être à nos repas.
Quant au chat, c'est sur nous qu'il fonde sa cuisine.
Garde-toi, tant que tu vivras,
De juger des gens sur la mine. »

Le lion
et le moucheron

« Va-t'en, chétif insecte, excrément de la terre ! »
C'est en ces mots que le lion
Parlait un jour au moucheron.
L'autre lui déclara la guerre.
« Penses-tu, lui dit-il, que ton titre de roi
Me fasse peur, ni me soucie ?
Un bœuf est plus puissant que toi,
Je le mène à ma fantaisie. »
À peine il achevait ces mots
Que lui-même il sonna la charge,
Fut le trompette et le héros.
Dans l'abord il se met au large ;
Puis prend son temps, fond sur le cou
Du lion, qu'il rend presque fou.
Le quadrupède écume, et son œil étincelle ;
Il rugit, on se cache, on tremble à l'environ ;
Et cette alarme universelle
Est l'ouvrage d'un moucheron.
Un avorton de moucheron en cent lieux le harcèle,
Tantôt pique l'échine, et tantôt le museau,

66

Tantôt entre au fond du naseau.
La rage alors se trouve à son faîte montée.
L'invisible ennemi triomphe, et rit de voir
Qu'il n'est griffe ni dent en la bête irritée
Qui de la mettre en sang ne fasse son devoir.
Le malheureux lion se déchire lui-même,
Fait résonner sa queue à l'entour de ses flancs,
Bat l'air, qui n'en peut mais ; et sa fureur extrême
Le fatigue, l'abat ; le voilà sur les dents.
L'insecte du combat se retire avec gloire :
Comme il sonna la charge, il sonne la victoire,
Va partout l'annoncer, et rencontre en chemin
L'embuscade d'une araignée ;
Il y rencontre aussi sa fin.
Quelle chose par là nous peut être enseignée ?
J'en vois deux, dont l'une est qu'entre nos ennemis,
Les plus à craindre sont souvent les plus petits ;
L'autre, qu'aux grands périls tel a pu se soustraire
Qui périt pour la moindre affaire.

La belette entrée dans un grenier

Damoiselle belette, au corps long et flouet,
Entra dans un grenier par un trou fort étroit.
Elle sortait de maladie.
Là, vivant à discrétion,
La galande fit chère lie,
Mangea, rongea ; Dieu sait la vie,
Et le lard qui périt en cette occasion.
La voilà pour conclusion
Grasse, mafflue, et rebondie.
Au bout de la semaine, ayant dîné son soûl,
Elle entend quelque bruit, veut sortir par le trou,
Ne peut plus repasser, et croit s'être méprise.
Après avoir fait quelques tours :
« C'est, dit-elle, l'endroit, me voilà bien surprise ;
J'ai passé par ici depuis cinq ou six jours. »
Un rat qui la voyait en peine
Lui dit : « Vous aviez lors la panse un peu moins pleine.
Vous être maigre entrée, il faut maigre sortir.
Ce que je vous dis là, l'on le dit à bien d'autres.
Mais ne confondons point, par trop approfondir,
Leurs affaires avec les vôtres. »

Le chameau et les bâtons flottants

Le premier qui vit un chameau
S'enfuit à cet objet nouveau ;
Le second approcha ; le troisième osa faire
Un licou pour le dromadaire.
L'accoutumance ainsi nous rend tout familier.
Ce qui nous paraissait terrible et singulier
S'apprivoise avec notre vue,
Quand ce vient à la continue.

Et puisque nous voici tombés sur ce sujet,
On avait mis des gens au guet,
Qui, voyant sur les eaux de loin certain objet,
Ne purent s'empêcher de dire
Que c'était un puissant navire.
Quelques moments après, l'objet devint brûlot,
Et puis nacelle, et puis ballot,
Enfin bâtons flottants sur l'onde.

J'en sais beaucoup de par le monde
À qui ceci conviendrait bien :
De loin c'est quelque chose, et de près ce n'est rien.

Les deux mulets

Deux mulets cheminaient : l'un d'avoine chargé ;
L'autre portant l'argent de la gabelle.
Celui-ci, glorieux d'une charge si belle,
N'eût voulu pour beaucoup en être soulagé.
Il marchait d'un pas relevé,
Et faisait sonner sa sonnette ;
Quand, l'ennemi se présentant,
Comme il en voulait à l'argent,
Sur le mulet du fisc une troupe se jette,
Le saisit au frein, et l'arrête.
Le mulet en se défendant
Se sent percer de coups : il gémit, il soupire.
« Est-ce donc là, dit-il, ce qu'on m'avait promis ?
Ce mulet qui me suit du danger se retire,
Et moi, j'y tombe et je péris.
– Ami, lui dit son camarade,
Il n'est pas toujours bon d'avoir un haut emploi :
Si tu n'avais servi qu'un meunier, comme moi,
Tu ne serais pas si malade. »

Table